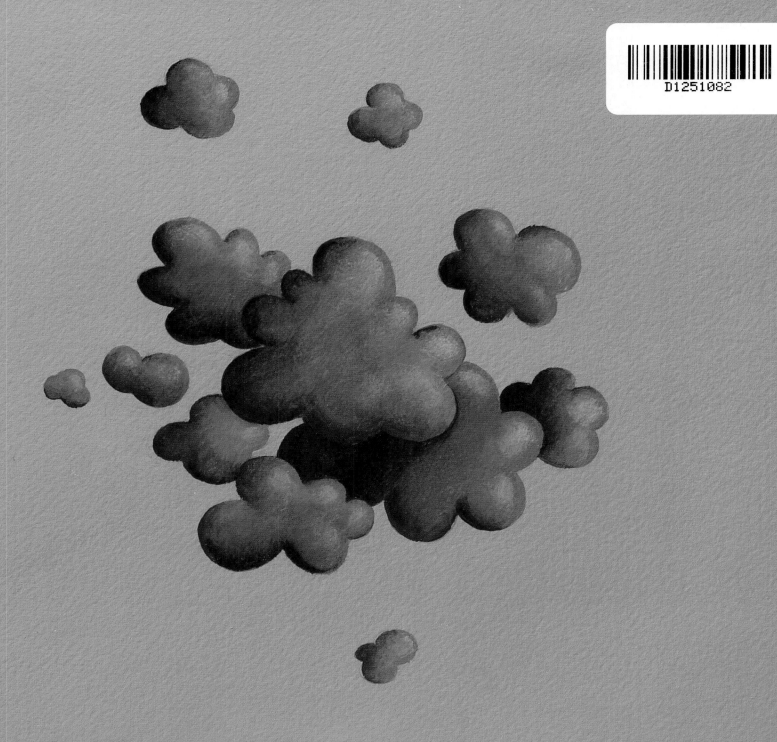

Edición original: **OQO Editora**

© del texto	José Campanari 2008
© de las ilustraciones	João Vaz de Carvalho 2008
© de esta edición	OQO Editora 2008
Alemaña 72	36162 Pontevedra
Galicia	ESPAÑA
T +34 986 109 270	F +34 986 109 356 ·
OQO@OQO.es	www.OQO.es
Diseño	Oqomania
Impresión	Tilgráfica
Primera edición	octubre 2008
ISBN	978-84-9871-075-5
DL	PO 616-2008

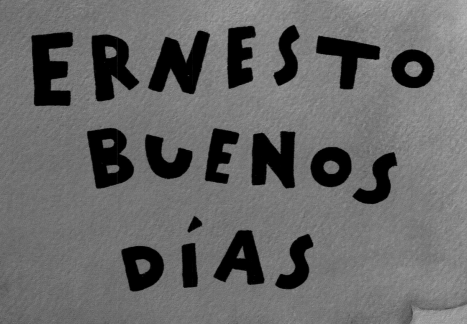

ERNESTO BUENOS DÍAS

José Campanari

ilustraciones de João Vaz de Carvalho

OQO EDITORA

Como todos los domingos,
Ernesto se levantó
a media mañana
y fue al patio de la casa
a charlar con su abuelo.

Al rato comenzaron a llegar
sus tías, tíos, primas y primos,
que venían a comer.

Sentados en una mesa enorme, comieron carne asada con ensalada
y raviolis con salsa de tomate, como le gustaban al abuelo
(Ernesto los prefería con queso y mantequilla).

Mientras tomaban el postre,
Ernesto miró el reloj:
estaba invitado a merendar
en casa de su novia Enriqueta,
y la cita era a las seis en punto,
ni un minuto antes
ni un minuto después.

Ante la sorpresa de todos,
en especial del abuelo,
Ernesto se retiró de la mesa.

Una hora más tarde,
Ernesto volvió a aparecer en el patio,
afeitado, bien vestido
y perfumado con aquel perfume del abuelo
que le gustaba a la mamá
(de Ernesto, no del abuelo).

Los primos pequeños, al verlo tan elegante,
lo rodearon, cantando:

Colorado como un tomate, Ernesto decidió salir
e ir andando a casa de Enriqueta.

Ernesto caminaba
con el sol en la cara y el calorcito en el cuerpo.

De pronto,
se levantó una suave brisa.

Ya pasará, pensó Ernesto, frotándose los brazos.

Sonrió y siguió caminando.

Enriqueta, la hermana, la madre, el padre y la abuela preparaban todo para la merienda.

Era la primera vez que Ernesto los visitaba, y estaban nerviosos.

El viento era cada vez más fuerte,
y una nube dibujaba su sombra.

Una nube pasajera…
Ya pasará,
pensó Ernesto,
con piel de gallina
y las manos en los bolsillos.

Sonrió y siguió caminando.

El padre de Enriqueta fregaba las tazas,
la abuela sacaba del horno la tarta de nueces,
la hermana llenaba el azucarero,
la madre planchaba el mantel…

Enriqueta, emocionada,
miraba el reloj.

El cielo estaba cada vez más nublado,
y empezaron a caer unas gotas.

Una lluvia pasajera...
Ya pasará,
pensó Ernesto,
resguardándose en un portal.

Sonrió y siguió caminando.

Enriqueta ponía el mantel;
la abuela, las tazas;
la madre planchaba las servilletas,
el padre preparaba el café…

La hermana, un poco celosa,
miraba el reloj.

De pronto,
en mitad de la tarde,
se hizo de noche.

Ernesto se asustó
con los truenos y los relámpagos.

Una tormenta de verano...
Ya pasará,
pensó Ernesto,
aún sabiendo que era otoño.

Sonrió y siguió caminando.

Enriqueta ponía las servilletas,
la hermana sacaba las cucharillas
y se las daba a la abuela,
el padre preparaba el té…

La madre, ansiosa,
miraba el reloj.

Ernesto estaba hecho una sopa.
Hacía mucho frío y granizaba.

Ya pasará,

pensó, no muy convencido,
sacándose la camisa del pantalón
para que el hielo
no se le acumulara en la cintura.

Sonrió y siguió caminando.

Enriqueta llevaba a la mesa
los bocadillos que mamá había preparado
(unos de queso y otros de jamón,
porque a la hermana no le gustaba el jamón
y a la abuela no le gustaba el queso).

El padre, impaciente,
miraba el reloj.

Ernesto tenía las zapatillas tan empapadas
que casi no podía mover los pies.

– **Ya pasará, ya pasará**
  -repetía Ernesto,
  aunque no sabía cuando acabaría
  aquella tormenta de otoño.

Sonrió y siguió caminando.

Enriqueta puso flores en la mesa;
el padre, la cafetera y la tetera;
la madre, la jarrita de la leche;
la hermana, el azucarero...

La abuela,
mientras llevaba la tarta de nueces a la mesa,
miraba el reloj (porque todos lo habían hecho).

Ernesto llegó a casa de su novia,
se sacudió como hacen los perros,
levantó la mano para tocar el timbre
y dibujó su mejor sonrisa.

En ese instante
sopló una ráfaga de viento muy fuerte y muy frío.

Enriqueta revisaba la mesa
para que no faltara nada,
la hermana miraba la tele,
la madre leía el periódico,
el padre se ponía los zapatos,
la abuela calcetaba…

Con los nervios a flor de piel,
toda la familia miraba el reloj.

Cuando faltaban diez minutos para las seis,
la madre de Enriqueta cerró el periódico y apagó la tele;
la hermana protestó como siempre
y fue a llorar en los brazos de su padre,
la abuela dejó la calceta en la cesta...

Enriqueta, preocupada,
recorría la sala de un lado para otro.

A las seis menos cinco
se sentaron a la mesa
con los ojos clavados en el reloj.

A las seis y cinco,
la hermana, la madre y el padre
miraron a Enriqueta con cara de *¿dónde estará ese hombre?*

La abuela pensaba:
¿Por qué no estamos merendando?

A las seis y diez,
Enriqueta se levantó y fue a la puerta
con cara de *¡en cuanto llegue, me va a oír!*

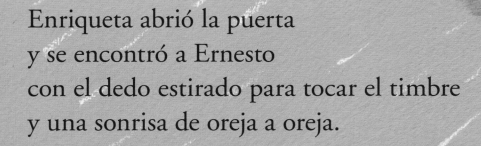

Enriqueta abrió la puerta
y se encontró a Ernesto
con el dedo estirado para tocar el timbre
y una sonrisa de oreja a oreja.

De repente empezó a gritar, desbocada:

– **PERO TÚ QUÉ TE CREES:**

**¿TEPARECEBONITOLLEGARACUALQUIER
HORACUANDOSABESQUEENESTACASASE
MERIENDAALASSEISENPUNTONIUNMINU
TOANTESNIUNMINUTODES…**

En cuanto se paró a tomar aire,
notó que a Ernesto no se le movía ni un pelo.
Entonces le tocó el hombro y…

¡PLAF!

Ernesto se cayó de espaldas
con el brazo levantado,
como queriendo tocar el cielo,
y una gran sonrisa en la cara…

Enriqueta, desesperada, volvió a gritar:

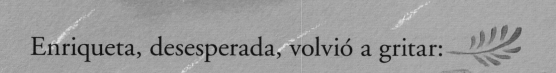

– ¡ERNESTO ESTÁ CONGELADO!
¡ESTÁ… CONGELADO!
¡CONGELADO!

Enriqueta, la hermana, la madre y el padre,
siguiendo las instrucciones de la abuela,
arrastraron a Ernesto hasta la cocina
y encendieron la estufa y el horno.

Enriqueta, con el secador,
le echaba aire caliente, de los pies a la cabeza.

Por fin,
Ernesto entró en calor
y, bien seco,
se puso de pie.

Con su mejor sonrisa,
saludó a la abuela,
a la madre,
al padre
y a la hermana.

Después,
Enriqueta y Ernesto
se abrazaron
(con uno de esos abrazos
de final de película).

Aquel domingo,
en casa de Enriqueta
merendaron a las siete en punto, ni un minuto antes
ni un minuto después…

Ernesto, mirando por la ventana,
con una enorme sonrisa,
recordaba la frase preferida del abuelo:

¡AL MAL TIEMPO, BUENA CARA!

E CAMPA   HTUTP
Campanari, Jose¦ü
Ernesto buenos di¦üas /

TUTTLE
12/11